E

Bogenpass für [illegible]

mit Tuning-Tipps für Ihren Bogen

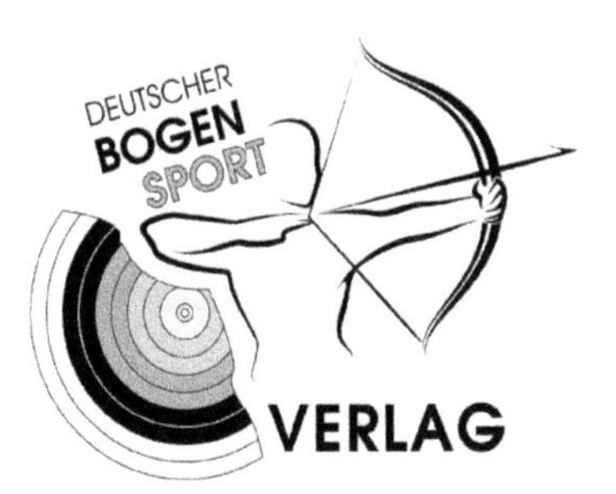

Deutscher Bogensportverlag
www.deutscher-bogensportverlag.de

Über die Autoren:

Bert Mehlhaff
betreibt den Bogensport seit mehr als 35 Jahren und ist mehrfacher Landes- sowie Deutscher Meister mit dem Recurvebogen. Er betreibt seit Jahren erfolgreich ein Fachgeschäft für Bogensportartikel und ist Bogenreferent für den Schützenkreis Lippe. Seit 5 Jahren schießt er Compoundbogen und ist oft auf 3D-Parcours anzutreffen.

Internet:
www.bogensport-deutschland.de

Martina Berg
ist Antiquarin, Fotografin, Autorin und seit einigen Jahren begeisterte Bogenschützin. Sie durchstreift mit Ihrem Jagdrecurve bevorzugt 3D-Parcours, schießt dabei instinktiv, liebäugelt aber seit kurzem auch mit einem Compoundbogen.

Internet:
www.martinaberg.com

Weitere Titel aus unserem Verlag:

- **Schießbuch für Bogenschützen**
  Persönliches Trainingstagebuch für ambitionierte Bogensportler
- **Bogenpass für Compoundbogen**
  mit Tuning-Tipps für Ihren Bogen

Bert Mehlhaff & Martina Berg

Bogenpass für Recurvebogen

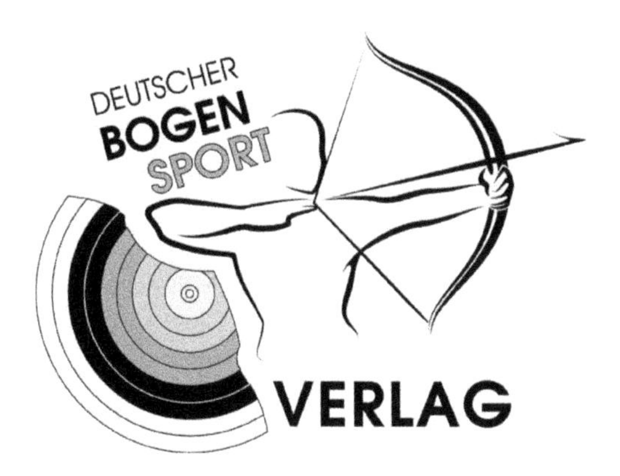

Deutscher Bogensportverlag
www.deutscher-bogensportverlag.de

Bibliografische Information der Deutschen Nationalbibliothek:
Die Deutsche Bibliothek verzeichnet diese Publikation in der
Deutschen Nationalbibliografie; detaillierte bibliografische
Daten sind im Internet unter http://dnb.dnb.de abrufbar.

Herstellung und Verlag:
BoD – Books on Demand, Norderstedt

ISBN: 978-3-7386-36710

Bogenpass-Nr.	
Datum von:	
Datum bis:	
Persönliche Daten	
Name:	
Geburtsdatum:	
Straße / Nr.:	
PLZ / Wohnort:	
Telefon:	
Mobiltelefon:	
E-Mail:	
Verein:	

Ein Leben ohne Bogenschießen
ist möglich - aber sinnlos!

Bogenpass Recurvebogen – Teil 1

Datum:		
Mittelteil		
Hersteller:		
Länge in Zoll:		
Wurfarme		
Name / Modell:		
Länge in Zoll / Stärke in lbs:		
Effektives Zuggewicht in lbs:		
Tiller (WA = Wurfarme)	**obere WA**	**untere WA**
Abstand:		
Visier		
Modell / Name:		
Ausleger in Zoll:		
Visiernadel / Pin:		
Sehne / Standhöhe		
Material:		
Länge / Strangzahl:		
Sehnenabstand in Zoll/cm:		
Button		
Name/Modell:		
Gesamtlänge:		
Bergertest am:		
Vorbau / V-Bar / Spinne		
Art/Länge/Winkel in Grad:		

Bogenpass Recurvebogen – Teil 2

Nockpunktüberhöhung	
Typ:	
Höhe:	
Stabilisatoren	
Modell Monostabi:	
Länge Monostabi:	
Gewicht(e) Monostabi:	
Modell Seitenstabi:	
Länge Seitenstabi:	
Gewicht(e) Seitenstabi:	
Dämpfer / Modell:	
Pfeilauflage	
Modell:	
geklebt / geschraubt:	
verstellbar?:	
Markierungsdaten:	
Pfeile	
Material / Modell / Länge:	
Spitzen / Gewicht:	
Nocks:	
Federn:	
Folierung / Länge:	
Beschriftung:	
Auszugslänge cm/Zoll:	

Zubehör

Tab / Fingerschutz	
Art und Modell:	
Größe:	
Lederart:	
Ersatzleder?:	
Leder zuletzt gewechselt am:	
Leder gewechselt nach x Schuß:	
Größe und Art des Fingertrenners:	
Zusatzgewichte Tab in Gramm:	
Schleifspuren? Wo/wie stark:	
Ersatzteilsortiment	
bestehend aus:	
Zuletzt ergänzt am:	
Nachfüllen / ergänzen von:	

Gruppierungscheck

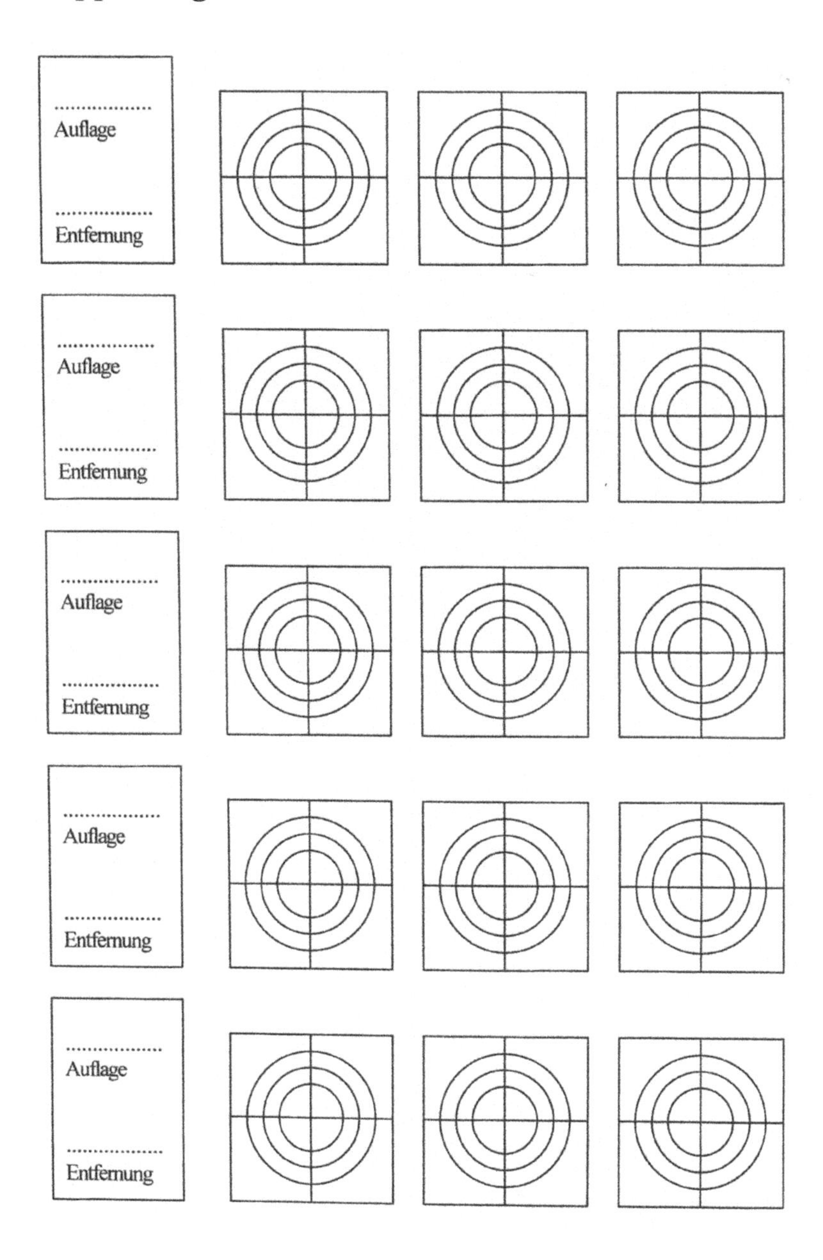

Bogenpass Recurvebogen – Teil 1

Datum:		
Mittelteil		
Hersteller:		
Länge in Zoll:		
Wurfarme		
Name / Modell:		
Länge in Zoll / Stärke in lbs:		
Effektives Zuggewicht in lbs:		
Tiller (WA = Wurfarme)	**obere WA**	**untere WA**
Abstand:		
Visier		
Modell / Name:		
Ausleger in Zoll:		
Visiernadel / Pin:		
Sehne / Standhöhe		
Material:		
Länge / Strangzahl:		
Sehnenabstand in Zoll/cm:		
Button		
Name/Modell:		
Gesamtlänge:		
Bergertest am:		
Vorbau / V-Bar / Spinne		
Art/Länge/Winkel in Grad:		

Bogenpass Recurvebogen – Teil 2

Nockpunktüberhöhung	
Typ:	
Höhe:	
Stabilisatoren	
Modell Monostabi:	
Länge Monostabi:	
Gewicht(e) Monostabi:	
Modell Seitenstabi:	
Länge Seitenstabi:	
Gewicht(e) Seitenstabi:	
Dämpfer / Modell:	
Pfeilauflage	
Modell:	
geklebt / geschraubt:	
verstellbar?:	
Markierungsdaten:	
Pfeile	
Material / Modell / Länge:	
Spitzen / Gewicht:	
Nocks:	
Federn:	
Folierung / Länge:	
Beschriftung:	
Auszugslänge cm/Zoll:	

Zubehör

Tab / Fingerschutz	
Art und Modell:	
Größe:	
Lederart:	
Ersatzleder?:	
Leder zuletzt gewechselt am:	
Leder gewechselt nach x Schuß:	
Größe und Art des Fingertrenners:	
Zusatzgewichte Tab in Gramm:	
Schleifspuren? Wo/wie stark:	
Ersatzteilsortiment	
bestehend aus:	
Zuletzt ergänzt am:	
Nachfüllen / ergänzen von:	

Gruppierungscheck

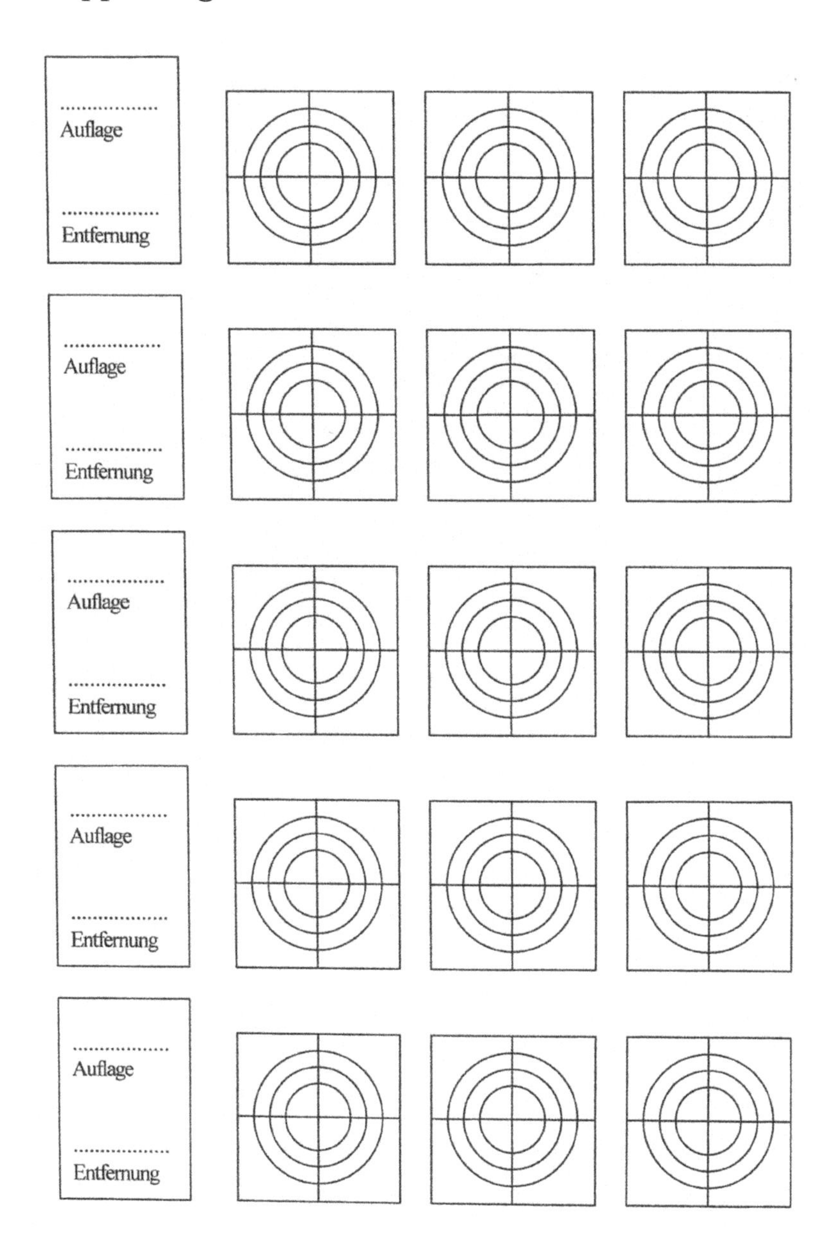

Bogenpass Recurvebogen – Teil 1

Datum:		
Mittelteil		
Hersteller:		
Länge in Zoll:		
Wurfarme		
Name / Modell:		
Länge in Zoll / Stärke in lbs:		
Effektives Zuggewicht in lbs:		
Tiller (WA = Wurfarme)	**obere WA**	**untere WA**
Abstand:		
Visier		
Modell / Name:		
Ausleger in Zoll:		
Visiernadel / Pin:		
Sehne / Standhöhe		
Material:		
Länge / Strangzahl:		
Sehnenabstand in Zoll/cm:		
Button		
Name/Modell:		
Gesamtlänge:		
Bergertest am:		
Vorbau / V-Bar / Spinne		
Art/Länge/Winkel in Grad:		

Bogenpass Recurvebogen – Teil 2

Nockpunktüberhöhung	
Typ:	
Höhe:	
Stabilisatoren	
Modell Monostabi:	
Länge Monostabi:	
Gewicht(e) Monostabi:	
Modell Seitenstabi:	
Länge Seitenstabi:	
Gewicht(e) Seitenstabi:	
Dämpfer / Modell:	
Pfeilauflage	
Modell:	
geklebt / geschraubt:	
verstellbar?:	
Markierungsdaten:	
Pfeile	
Material / Modell / Länge:	
Spitzen / Gewicht:	
Nocks:	
Federn:	
Folierung / Länge:	
Beschriftung:	
Auszugslänge cm/Zoll:	

Zubehör

Tab / Fingerschutz	
Art und Modell:	
Größe:	
Lederart:	
Ersatzleder?:	
Leder zuletzt gewechselt am:	
Leder gewechselt nach x Schuß:	
Größe und Art des Fingertrenners:	
Zusatzgewichte Tab in Gramm:	
Schleifspuren? Wo/wie stark:	
Ersatzteilsortiment	
bestehend aus:	
Zuletzt ergänzt am:	
Nachfüllen / ergänzen von:	

Gruppierungscheck

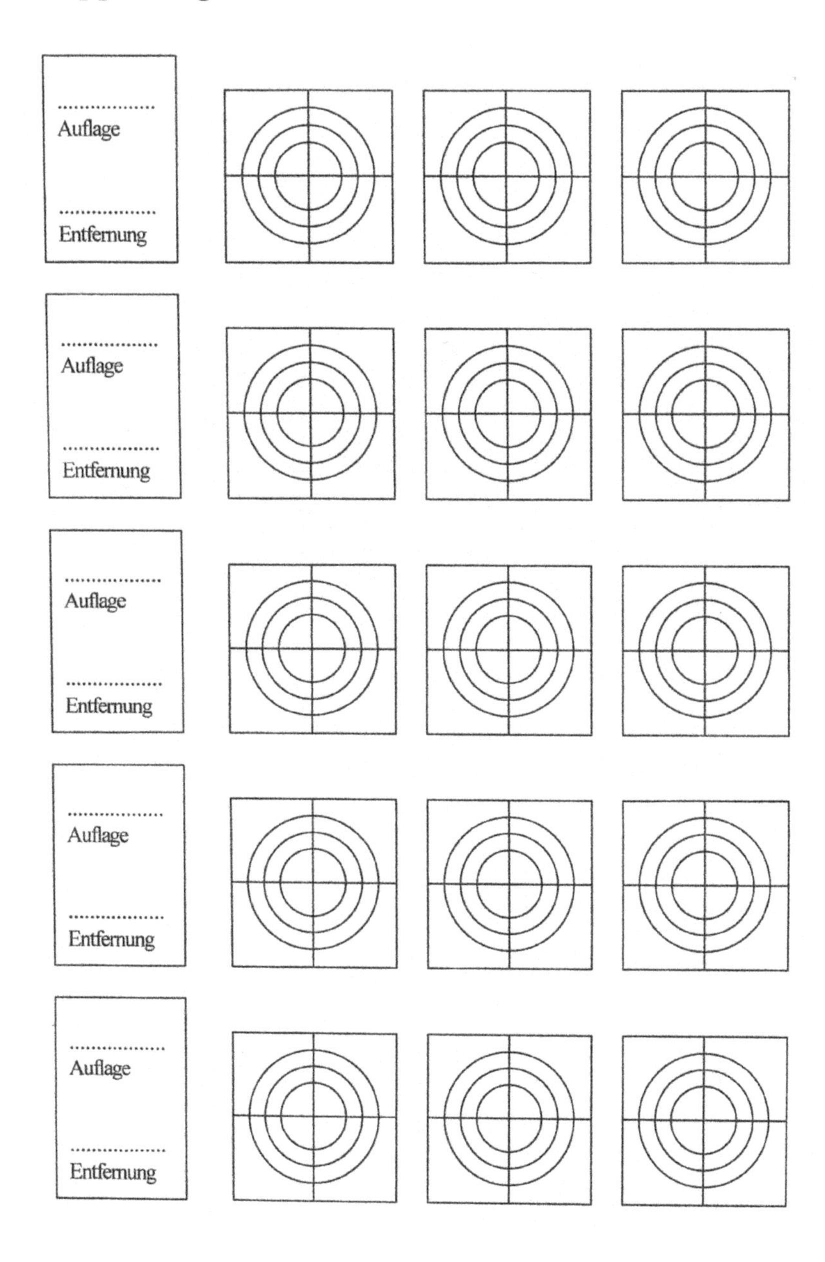

Bogenpass Recurvebogen – Teil 1

Datum:		
Mittelteil		
Hersteller:		
Länge in Zoll:		
Wurfarme		
Name / Modell:		
Länge in Zoll / Stärke in lbs:		
Effektives Zuggewicht in lbs:		
Tiller (WA = Wurfarme)	**obere WA**	**untere WA**
Abstand:		
Visier		
Modell / Name:		
Ausleger in Zoll:		
Visiernadel / Pin:		
Sehne / Standhöhe		
Material:		
Länge / Strangzahl:		
Sehnenabstand in Zoll/cm:		
Button		
Name/Modell:		
Gesamtlänge:		
Bergertest am:		
Vorbau / V-Bar / Spinne		
Art/Länge/Winkel in Grad:		

Bogenpass Recurvebogen – Teil 2

Nockpunktüberhöhung	
Typ:	
Höhe:	
Stabilisatoren	
Modell Monostabi:	
Länge Monostabi:	
Gewicht(e) Monostabi:	
Modell Seitenstabi:	
Länge Seitenstabi:	
Gewicht(e) Seitenstabi:	
Dämpfer / Modell:	
Pfeilauflage	
Modell:	
geklebt / geschraubt:	
verstellbar?:	
Markierungsdaten:	
Pfeile	
Material / Modell / Länge:	
Spitzen / Gewicht:	
Nocks:	
Federn:	
Folierung / Länge:	
Beschriftung:	
Auszugslänge cm/Zoll:	

Zubehör

Tab / Fingerschutz	
Art und Modell:	
Größe:	
Lederart:	
Ersatzleder?:	
Leder zuletzt gewechselt am:	
Leder gewechselt nach x Schuß:	
Größe und Art des Fingertrenners:	
Zusatzgewichte Tab in Gramm:	
Schleifspuren? Wo/wie stark:	
Ersatzteilsortiment	
bestehend aus:	
Zuletzt ergänzt am:	
Nachfüllen / ergänzen von:	

Gruppierungscheck

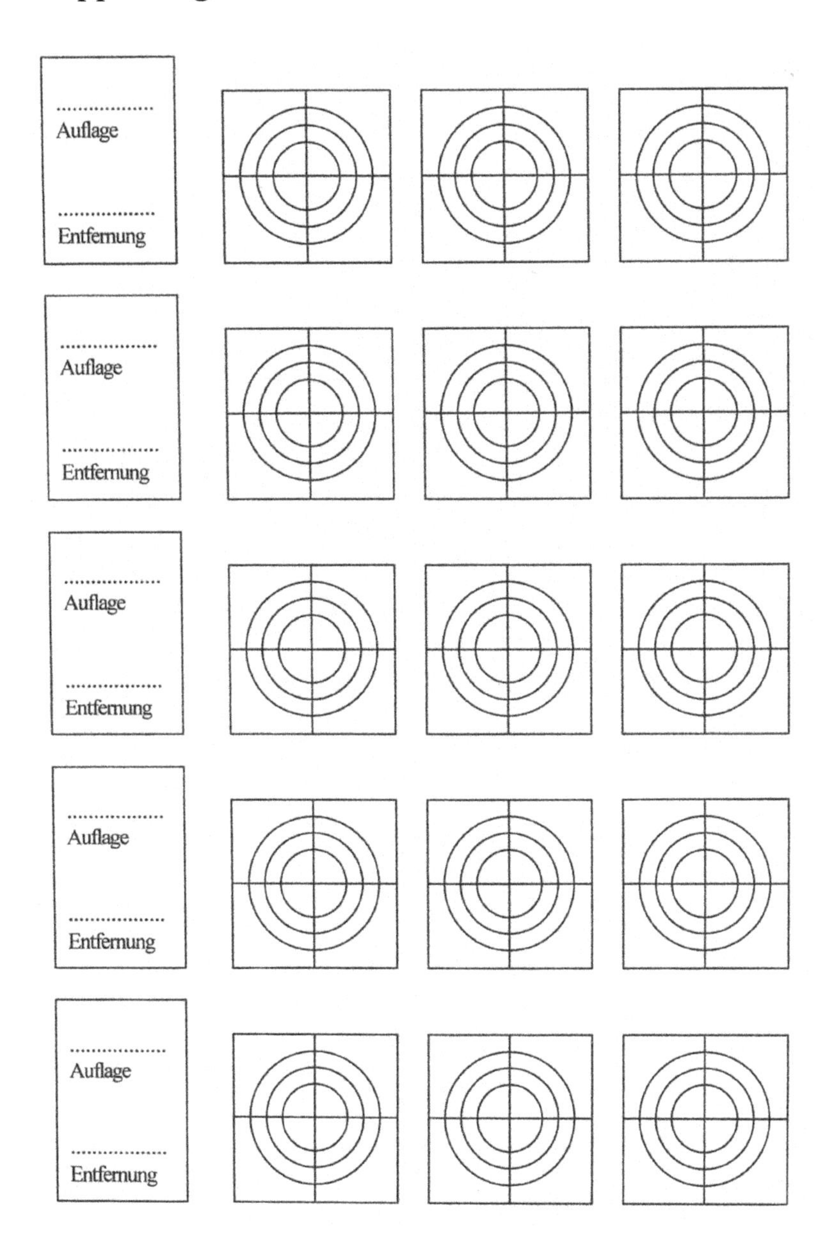

Bogenpass Recurvebogen – Teil 1

Datum:		
Mittelteil		
Hersteller:		
Länge in Zoll:		
Wurfarme		
Name / Modell:		
Länge in Zoll / Stärke in lbs:		
Effektives Zuggewicht in lbs:		
Tiller (WA = Wurfarme)	**obere WA**	**untere WA**
Abstand:		
Visier		
Modell / Name:		
Ausleger in Zoll:		
Visiernadel / Pin:		
Sehne / Standhöhe		
Material:		
Länge / Strangzahl:		
Sehnenabstand in Zoll/cm:		
Button		
Name/Modell:		
Gesamtlänge:		
Bergertest am:		
Vorbau / V-Bar / Spinne		
Art/Länge/Winkel in Grad:		

Bogenpass Recurvebogen – Teil 2

Nockpunktüberhöhung	
Typ:	
Höhe:	
Stabilisatoren	
Modell Monostabi:	
Länge Monostabi:	
Gewicht(e) Monostabi:	
Modell Seitenstabi:	
Länge Seitenstabi:	
Gewicht(e) Seitenstabi:	
Dämpfer / Modell:	
Pfeilauflage	
Modell:	
geklebt / geschraubt:	
verstellbar?:	
Markierungsdaten:	
Pfeile	
Material / Modell / Länge:	
Spitzen / Gewicht:	
Nocks:	
Federn:	
Folierung / Länge:	
Beschriftung:	
Auszugslänge cm/Zoll:	

Zubehör

Tab / Fingerschutz	
Art und Modell:	
Größe:	
Lederart:	
Ersatzleder?:	
Leder zuletzt gewechselt am:	
Leder gewechselt nach x Schuß:	
Größe und Art des Fingertrenners:	
Zusatzgewichte Tab in Gramm:	
Schleifspuren? Wo/wie stark:	
Ersatzteilsortiment	
bestehend aus:	
Zuletzt ergänzt am:	
Nachfüllen / ergänzen von:	

Gruppierungscheck

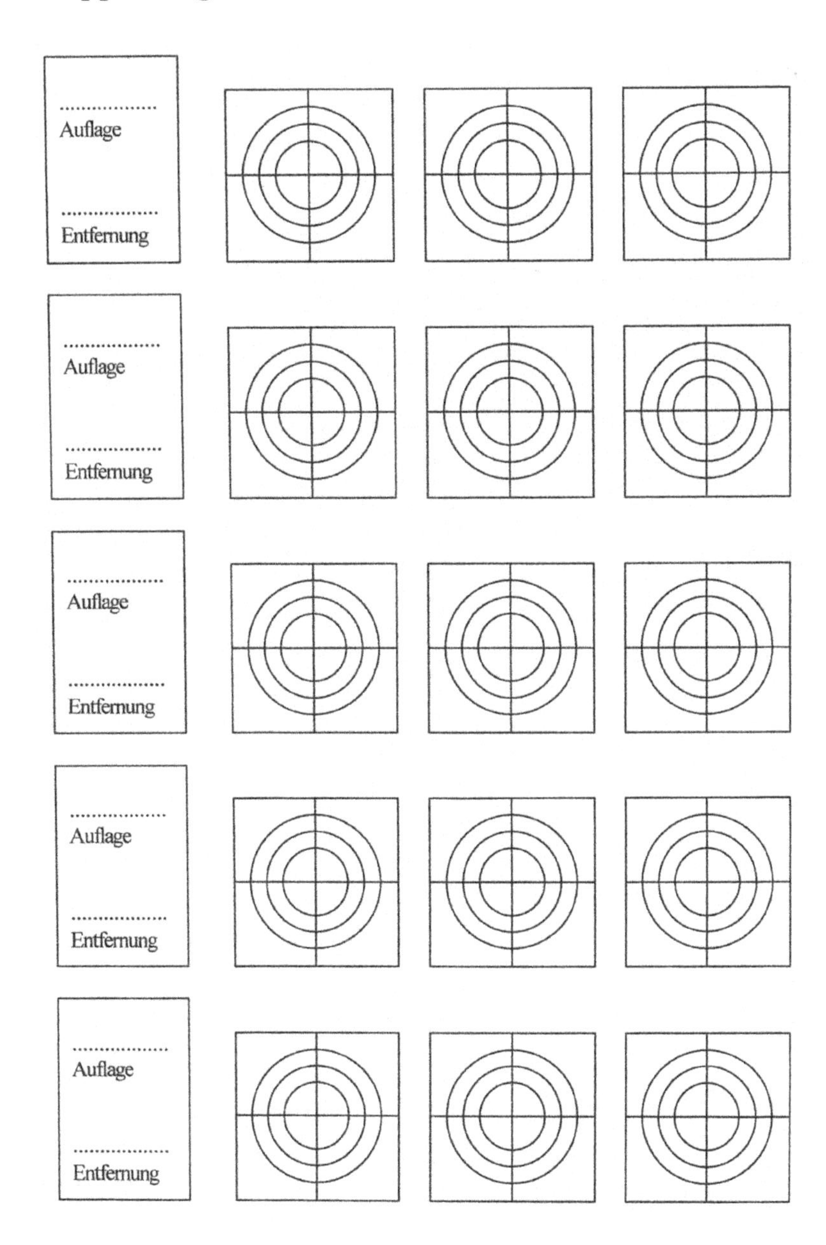

Bogenpass Recurvebogen – Teil 1

Datum:		
Mittelteil		
Hersteller:		
Länge in Zoll:		
Wurfarme		
Name / Modell:		
Länge in Zoll / Stärke in lbs:		
Effektives Zuggewicht in lbs:		
Tiller (WA = Wurfarme)	**obere WA**	**untere WA**
Abstand:		
Visier		
Modell / Name:		
Ausleger in Zoll:		
Visiernadel / Pin:		
Sehne / Standhöhe		
Material:		
Länge / Strangzahl:		
Sehnenabstand in Zoll/cm:		
Button		
Name/Modell:		
Gesamtlänge:		
Bergertest am:		
Vorbau / V-Bar / Spinne		
Art/Länge/Winkel in Grad:		

Bogenpass Recurvebogen – Teil 2

Nockpunktüberhöhung	
Typ:	
Höhe:	
Stabilisatoren	
Modell Monostabi:	
Länge Monostabi:	
Gewicht(e) Monostabi:	
Modell Seitenstabi:	
Länge Seitenstabi:	
Gewicht(e) Seitenstabi:	
Dämpfer / Modell:	
Pfeilauflage	
Modell:	
geklebt / geschraubt:	
verstellbar?:	
Markierungsdaten:	
Pfeile	
Material / Modell / Länge:	
Spitzen / Gewicht:	
Nocks:	
Federn:	
Folierung / Länge:	
Beschriftung:	
Auszugslänge cm/Zoll:	

Zubehör

Tab / Fingerschutz	
Art und Modell:	
Größe:	
Lederart:	
Ersatzleder?:	
Leder zuletzt gewechselt am:	
Leder gewechselt nach x Schuß:	
Größe und Art des Fingertrenners:	
Zusatzgewichte Tab in Gramm:	
Schleifspuren? Wo/wie stark:	
Ersatzteilsortiment	
bestehend aus:	
Zuletzt ergänzt am:	
Nachfüllen / ergänzen von:	

Gruppierungscheck

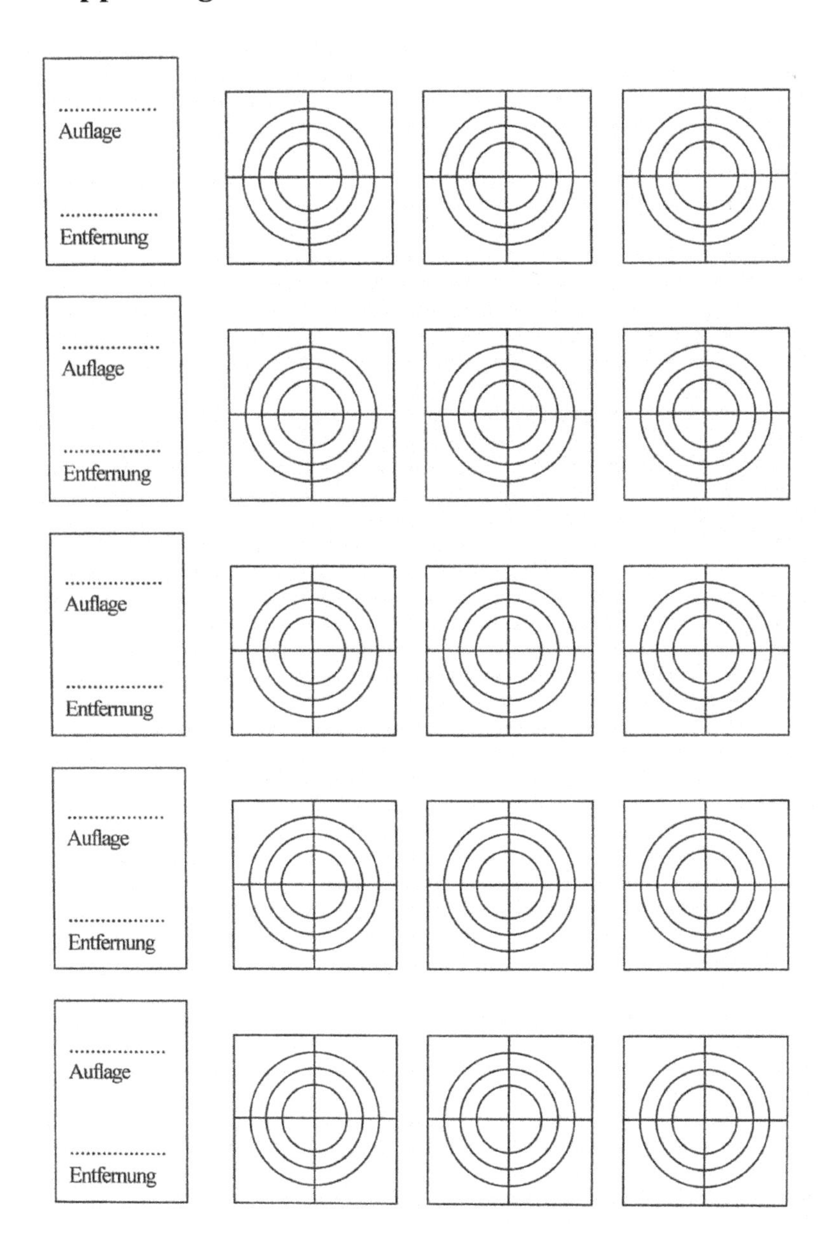

Bogenpass Recurvebogen – Teil 1

Datum:		
Mittelteil		
Hersteller:		
Länge in Zoll:		
Wurfarme		
Name / Modell:		
Länge in Zoll / Stärke in lbs:		
Effektives Zuggewicht in lbs:		
Tiller (WA = Wurfarme)	**obere WA**	**untere WA**
Abstand:		
Visier		
Modell / Name:		
Ausleger in Zoll:		
Visiernadel / Pin:		
Sehne / Standhöhe		
Material:		
Länge / Strangzahl:		
Sehnenabstand in Zoll/cm:		
Button		
Name/Modell:		
Gesamtlänge:		
Bergertest am:		
Vorbau / V-Bar / Spinne		
Art/Länge/Winkel in Grad:		

Bogenpass Recurvebogen – Teil 2

Nockpunktüberhöhung	
Typ:	
Höhe:	
Stabilisatoren	
Modell Monostabi:	
Länge Monostabi:	
Gewicht(e) Monostabi:	
Modell Seitenstabi:	
Länge Seitenstabi:	
Gewicht(e) Seitenstabi:	
Dämpfer / Modell:	
Pfeilauflage	
Modell:	
geklebt / geschraubt:	
verstellbar?:	
Markierungsdaten:	
Pfeile	
Material / Modell / Länge:	
Spitzen / Gewicht:	
Nocks:	
Federn:	
Folierung / Länge:	
Beschriftung:	
Auszugslänge cm/Zoll:	

Zubehör

Tab / Fingerschutz	
Art und Modell:	
Größe:	
Lederart:	
Ersatzleder?:	
Leder zuletzt gewechselt am:	
Leder gewechselt nach x Schuß:	
Größe und Art des Fingertrenners:	
Zusatzgewichte Tab in Gramm:	
Schleifspuren? Wo/wie stark:	
Ersatzteilsortiment	
bestehend aus:	
Zuletzt ergänzt am:	
Nachfüllen / ergänzen von:	

Gruppierungscheck

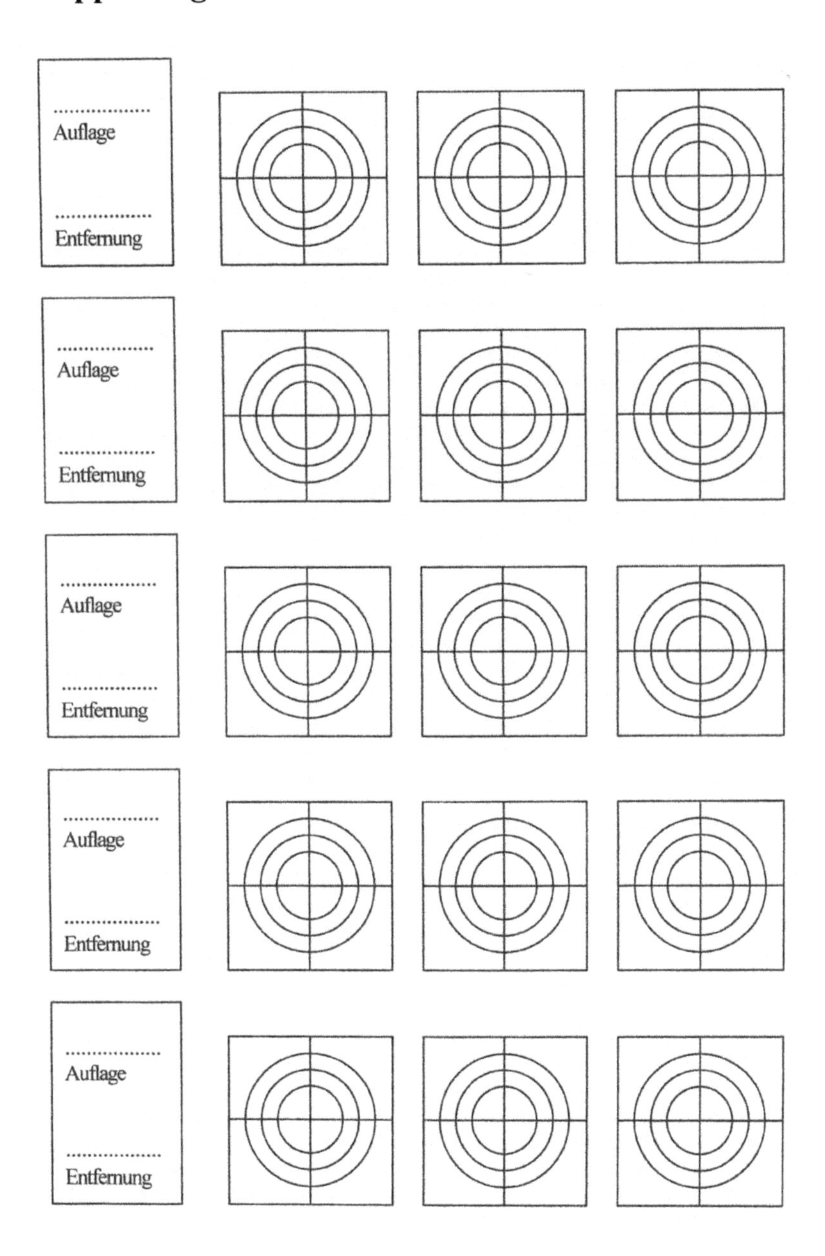

Bogenpass Recurvebogen – Teil 1

Datum:		
Mittelteil		
Hersteller:		
Länge in Zoll:		
Wurfarme		
Name / Modell:		
Länge in Zoll / Stärke in lbs:		
Effektives Zuggewicht in lbs:		
Tiller (WA = Wurfarme)	**obere WA**	**untere WA**
Abstand:		
Visier		
Modell / Name:		
Ausleger in Zoll:		
Visiernadel / Pin:		
Sehne / Standhöhe		
Material:		
Länge / Strangzahl:		
Sehnenabstand in Zoll/cm:		
Button		
Name/Modell:		
Gesamtlänge:		
Bergertest am:		
Vorbau / V-Bar / Spinne		
Art/Länge/Winkel in Grad:		

Bogenpass Recurvebogen – Teil 2

Nockpunktüberhöhung	
Typ:	
Höhe:	
Stabilisatoren	
Modell Monostabi:	
Länge Monostabi:	
Gewicht(e) Monostabi:	
Modell Seitenstabi:	
Länge Seitenstabi:	
Gewicht(e) Seitenstabi:	
Dämpfer / Modell:	
Pfeilauflage	
Modell:	
geklebt / geschraubt:	
verstellbar?:	
Markierungsdaten:	
Pfeile	
Material / Modell / Länge:	
Spitzen / Gewicht:	
Nocks:	
Federn:	
Folierung / Länge:	
Beschriftung:	
Auszugslänge cm/Zoll:	

Zubehör

Tab / Fingerschutz	
Art und Modell:	
Größe:	
Lederart:	
Ersatzleder?:	
Leder zuletzt gewechselt am:	
Leder gewechselt nach x Schuß:	
Größe und Art des Fingertrenners:	
Zusatzgewichte Tab in Gramm:	
Schleifspuren? Wo/wie stark:	
Ersatzteilsortiment	
bestehend aus:	
Zuletzt ergänzt am:	
Nachfüllen / ergänzen von:	

Gruppierungscheck

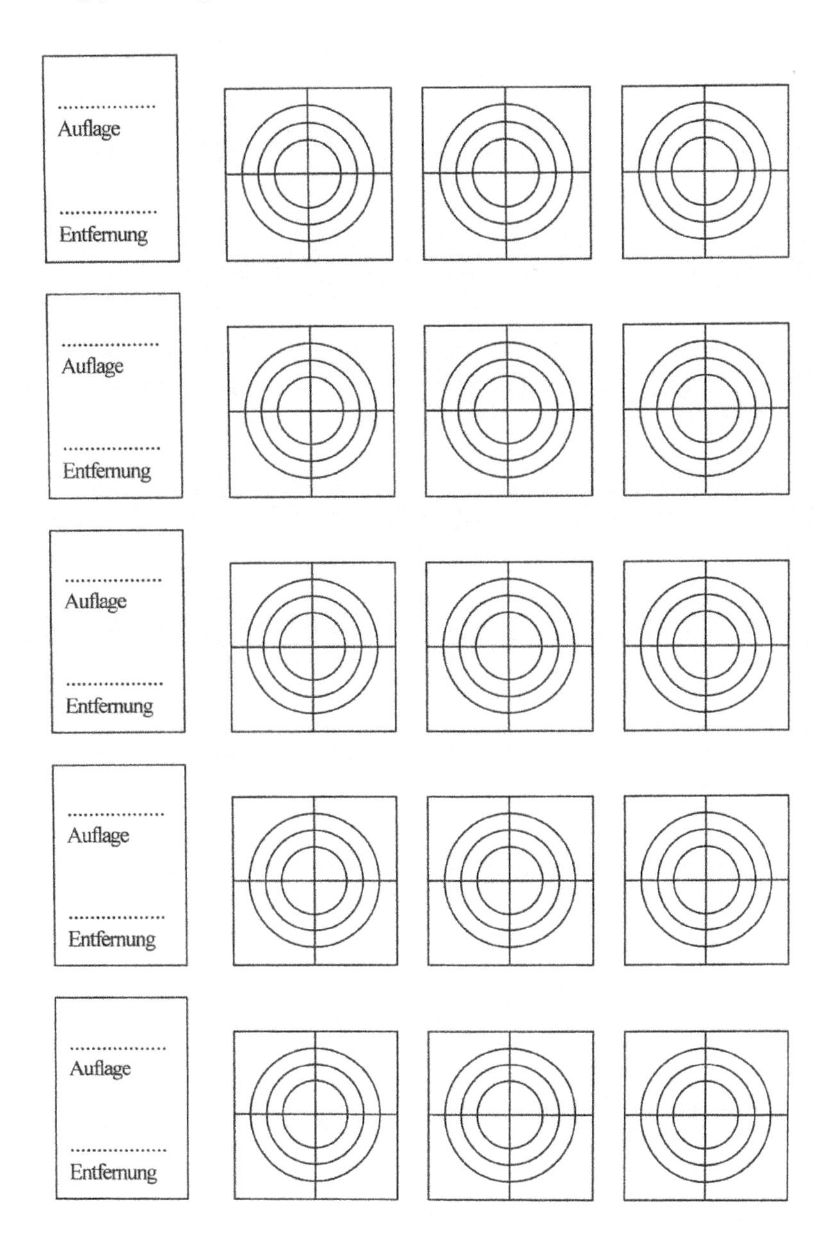

Visiereinstellungen

Das Visier immer in die Richtung der Pfeilgruppierungen stellen!

Meter	Skala	Skala	Skala	Skala	Skala
5					
10					
15					
18					
20					
25					
30					
35					
40					
45					
50					
55					
60					
65					
70					
75					
80					
90					

Der Button und seine Funktionsweise

Der Button wird bei einem Recurvebogens benötigt (Druckgußaluminium, Holz, o.ä). Das Mittelteil eines Bogens hat ein ausgeschnittenes Bogenfenster, welches sich direkt über dem Griff (Griffschale) befindet. Um nun den Pfeil in die gewünschte Position zu bringen, kommt es zum Einsatz des Buttons.

Die Montage des Buttons erfolgt direkt in der bereits vorgefertigten Bohrung im Bogenfenster des Mittelteils, direkt über der Pfeilauflage, was dazu führt, dass der Pfeil vom Bogenfenster ferngehalten wird.

Der Button ist wahrscheinlich das wichtigste Hilfsmittel beim Feintuning im Bereich des Bogenschießens (Pfeiltuning). Der Button wirkt beim Abschuss des Pfeils auf die Beschleunigungs- und Biegekräfte des Pfeils ein und beeinflusst den Flug erheblich. Mit dem Button werden die Kräfte, die auf den Pfeil einwirken, gesteuert, gelenkt und ggf. korrigiert, was letztendlich zu einer guten Pfeilgruppierung führt.

Die verschiedenen Hersteller bieten den Button in unterschiedlichen Qualitätsausführungen, unterschiedlichen Feinjustierungsmöglichkeiten und Preisen an. Der Unterschied zwischen den angebotenen Buttons, der sich besonders im Preis widerspiegelt, ist die Feinjustierung.

Ein teurer Button wird mit verschiedenen Federn und Stiften in unterschiedlichen Härtegraden und Stiftköpfen ausgeliefert. Dieses ermöglicht eine viel genauere Feinabstimmungen für den Bogenschützen. Diese Möglichkeiten kann allerdings nur ein erfahrener Bogenschütze mit viel Tuningerfahrung ausnutzen. Das Tuning mit dem Button erfordert viel Geduld und einen sicheren und gefestigten Schießstil des Bogenschützen. Näheres hierzu finden sie unter der Rubrik „Berger-Test“. Für den Einsteiger empfiehlt sich ein preiswertes Modell.

Beim Bogenschießen wirken ständig große Kräfte auf den Bogen und alle seine angebrachten Teile ein. Der Button ist ein Verschleißteil, das von Zeit zu Zeit gereinigt werden muss. Durch ständigen Gebrauch des Bogens sind Feder und Stift letztendlich abgenutzt und müssen daher ausgetauscht werden. Dies ist abhängig von der Anzahl der geschossenen Pfeile sowie dem harmonischen Zusammenspiel des ausgewählten Bogenmaterials.

Der Button arbeitet in der Funktionsweise eng mit der montierten Pfeilauflage zusammen, ist aber kein Bestandteil dieser. Gerade Einsteiger machen am Anfang den Fehler, dass sie den Pfeil auf den Buttonstift auflegen. Dieses führt dann zu Beschädigungen am Bogen, sprich dem Mittelteil.

Auf dem folgenden Bild sieht man einen montierter Button an einem Recurvebogen. Auf der rechten Seite befindet sich der Button mit der eingebauten Feder mit Justiermöglichkeit der Federstärke (hier nicht sichtbar, da sich die Feder innerhalb des Buttongehäuses befindet).

Auf der linken Seite ist der Buttonstift zu erkennen, der den Pfeil beim Abschuss von der Seite her stützt und im Moment des Abschusses Gegendruck auf den Pfeil ausübt. Den Druck des Buttonstiftes, der auf den Pfeil ausgeübt werden soll, kann der erfahrene Bogenschütze über folgende Komponenten beeinflussen:
- gewählte Federhärte
- gewählter Federweg
- herausstehende Länge des Stiftes.
Dieses ist abhängig vom ausgewählten Pfeil, seinem Spinewert, dem verwendeten Bogensportmaterial sowie den technischen Fertigkeiten des Schützen. Hier sei nochmals auf den „Berger-Test" hingewiesen.

Der Stift des Buttons wird durch die Reibung zwischen Pfeil und Button bei jedem Abschuss im Laufe der Zeit mehr oder weniger stark abgenutzt. Sobald sichtbare Schleifspuren oder Abnutzungen zu erkennen sind, muss der Buttonstift ersetzt werden. Durch die Abnutzung des Stifts ändert sich die Position des Pfeils auf der Pfeilauflage. Dieses hat zur Folge, dass sich die Visiereinstellung des Bogens ändert. Auch ist festzustellen, dass die Gruppierung der Pfeile stark auseinander geht, was letztendlich wieder zu einer Verschlechterung des Ergebnisses führt.

Verschmutzungen durch Staubpartikel und Regen beeinflussen stark die Funktionsweise des Buttons. Die eingebaute Feder kann dann nicht mehr zuverlässig und konstant arbeiten. Daher sollte der Button regelmäßig von außen und innen gereinigt werden. Hier empfiehlt sich ein einfaches Alkoholbad, bei dem der Button zerlegt gereinigt wird. Vorher sollten alle Einstellungen aufgeschrieben werden, damit nach dem Zusammenbau über die Grobeinstellung wieder die Feinjustierung vorgenommen werden kann.

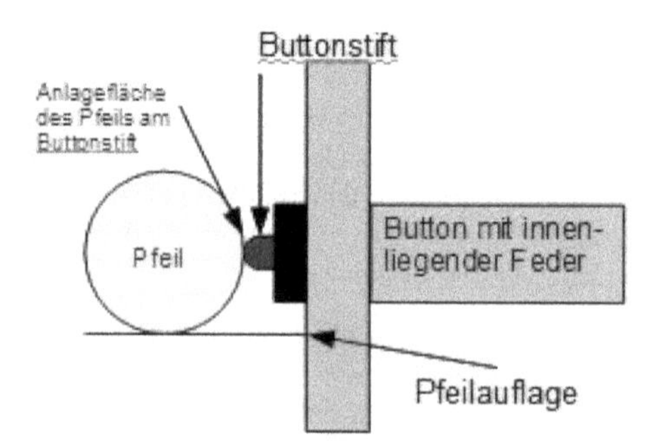

Hinweis: Wenn Sie einen gefestigten Schießstil haben, und Sie das Lösen nahezu perfekt beherrschen, werden Sie feststellen, dass bei einem sauberen Schuss der Button überhaupt nicht arbeitet. Dieses ist der beste Indikator dafür, dass Sie bereits im Bereich der Spitzenschützen angekommen sind!

Der Berger-Test (Grund- und Feinabstimmung des Buttons)

Wie schon im Artikel über den Button und dessen Funktionsweise ausgeführt, wirken starke Kräfte auf den Pfeil und den Button ein. Um nun diese Kräfte (Beschleunigungs- und Biegekräfte) zu kompensieren und auf ein Mindestmaß zu reduzieren, nutzt man zur Einstellung des Buttons den sog. Berger-Test.

Voraussetzungen:

- verstellbarer Button
- durchgeführter Blankschafttest
- verstellbare Pfeilauflage
- sicherer und gefestigter Schießstil
- mindestens 6 gerade und identische Pfeile
- Zeit und Ruhe

Vorbereitungen:

Ob in der Halle oder auf dem Außengelände klebt man mit einem Krepp- oder Malerband, angefangen im oberen Drittel der Scheibe, eine T-Markierung auf. Das Kreuz der T-Markierung sollte ungefähr 30 bis 35 cm von der Oberkante der Scheibe angebracht sein. Das Kreuz stellt den Zielpunkt (Zielfenster) beim Visieren dar.

Der Test (für Rechtshandschützen)

Linkshandschützen ersetzen links durch rechts.

Das Visier des Bogens wird auf die 15 Meter Einstellung gestellt und der Bogenschütze schießt seinen ersten Schuss aus einer Entfernung von 5 Metern auf die Scheibe (T-Kreuz).

Der zweite Schuss erfolgt aus einer Entfernung von 10 Meter, der 3 Schuss aus 15 Meter usw. bis man eine Entfernung von 40 bis 45 Meter erreicht hat. Siehe hierzu die folgende Abbildung zum Berger-Test. Durch das Wechseln der Entfernungen von 5 bis max. 45 Meter ergeben sich unterschiedliche Trefferbilder (siehe Abbildung auf der nächsten Seite).

Auswertung und Arbeiten am Button

Aufgrund der unterschiedlichen Trefferbilder werden die notwendigen Arbeiten/Einstellungen, wie unten beschrieben, vorgenommen. Der Test wird solange wiederholt, bis alle Pfeile in gerader, vertikaler Lage auf der Scheibe getroffen haben. Dieses setzt allerdings eine Reihe von Veränderungen am Button und geleisteten Schüssen voraus. Dies kann je nach Aufwand bis zu mehreren Stunden dauern. Lassen Sie sich aber davon nicht abschrecken, es lohnt sich allemal!

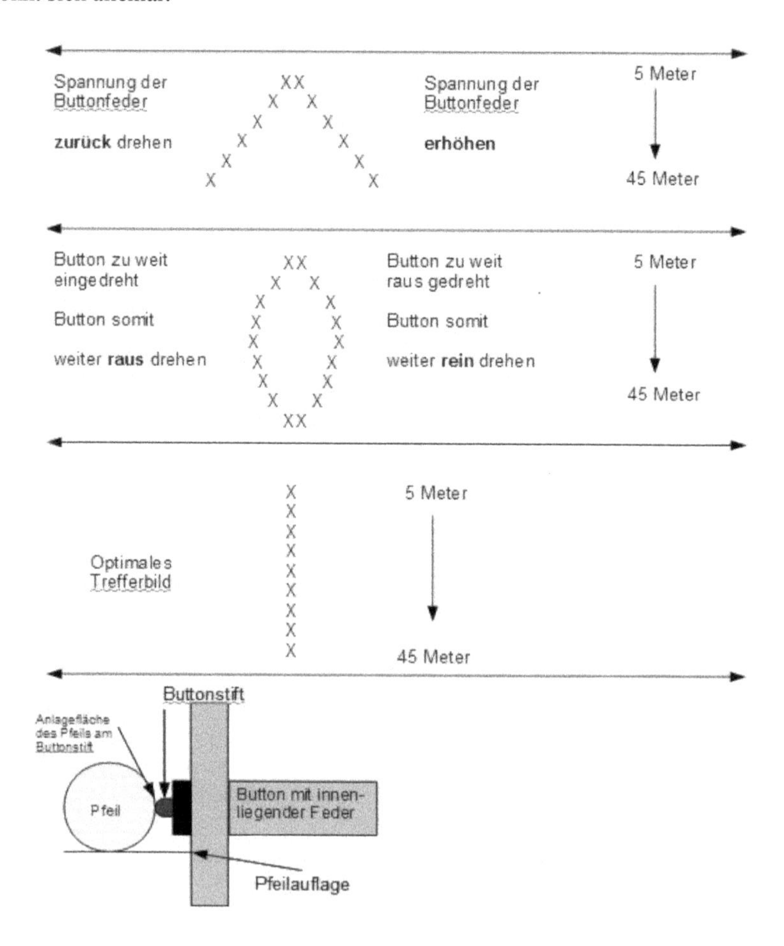

Hier noch ein wichtiger Hinweis: führen sie Veränderungen am Button immer nur einmal und in kleinen Schritten durch. Also: Eine Veränderung am Button und der Test beginnt von vorne!

Das Tillern eines Recurvebogens

Zunächst sollte die Grundeinstellung des Bogens hergestellt sein. Dieses bedeutet, dass folgende Faktoren überprüft und eingestellt sind:

- Sitzen die Wurfarme richtig im Mittelteil? Der obere Wurfarm in der oberen Wurfarmtasche und er untere Wurfarm in der Unteren? Wurfarme sind unterschiedlich gearbeitet, d.h. der untere Wurfarm ist vom Zuggewicht her stärker.
- Sind die Wurfarme gerade?
- Sind die Wurfarme verwunden?
- Ist die Pfeilauflage korrekt angebracht?
- Sitzt der Button korrekt und ist der Pfeil richtig angelehnt?
- Stimmt der Buttondruck?
- Stimmt die Standhöhe des Bogens?
- Ist das Visier mittig und der Visierschlitten parallel zur Sehne?
- Mittenwicklung korrekt?
- Nockpunktüberhöhung korrekt?

Wenn diese Dinge im Vorfeld alle abgeklärt sind, können wir zum Tillern eines Bogens übergehen. Grundvoraussetzung ist ein gefestigter und gleichbleibender Schießstil des Bogenschützen.

Zunächst folgende Worte zur Einführung:

Ein korrekt eingestellter Tiller eines Recurvebogens sorgt dafür, dass sich der abgeschossene Pfeil nach dem **entspannten Lösen** (!) exakt durch die Energiemitte des Bogens bewegt.

Da der Bogenschütze nicht durch die geometrische Mitte (Pivot-Point, auch Dreh- und Druckpunkt genannt) schießen kann, wurde die Energiemitte in Richtung der Pfeilauflage nach oben hin verlegt.

Um nun die unterschiedliche Belastung der Wurfarme auszugleichen, wurde der obere Wurfarm etwas „weicher“ konstruiert. Daraus ergibt sich eine Differenz an den Tillermesspunkten. Um es auf den Punkt zu bringen, ist der Tiller das **Biegeverhältnis des unteren zum oberen Wurfarm!**

Um nun den richtigen Tiller zu finden, müssen wir zunächst zwei Arten unterscheiden. Zum einen den **statischen** und den **dynamischen** Tiller.

Wie misst man den statischen Tiller und was ist dieser?

Die Messpunkte bei einem gespannten aber nicht ausgezogenen Recurvebogen liegen unmittelbar oberhalb bzw. unterhalb der Wurfarmtaschen. Gemessen wird der Abstand zwischen dem Wurfarm und der Sehne. Der Abstand des oberen Wurfarms sollte zunächst höher sein. Eine Differenz von + 10 Millimeter ist als zunächst korrekt anzusehen. Die für den Bogen korrekte Einstellung sollte individuell ermittelt werden.

Wie misst man den dynamischen Tiller und was ist dieser?

Hier wird beim ausgezogenen Bogen ebenfalls der Abstand zwischen Wurfarm und Sehne ermittelt. Da diese Vorgehensweise nicht ganz unproblematisch ist, verwendet man ein sog. Tillerbrett. Auf diesem Tillerbrett wird der Recurvebogen zunächst fest fixiert, wobei die Sehne dann mechanisch ausgezogen wird. Ein solches Brett ist im Fachhandel zu bekommen.

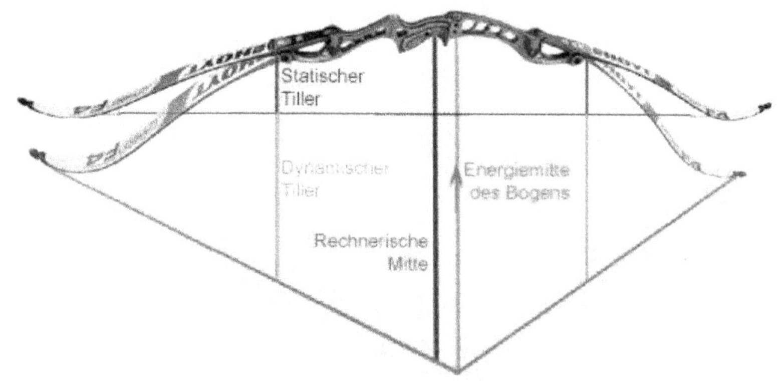

Für den Bogenschützen gibt es noch zwei wesentliche Einflussgrößen, die der Bestimmung des Tillers zugrunde liegen:

1. Die individuelle Druckverteilung der Finger der Zughand auf der Sehne und
2. Der individuelle Druckpunkt der Bogenhand im Griffstück

Kurz eine Erläuterung zu der individuellen Druckverteilung der Finger der Zughand auf der Sehne: Die Finger der Zughand sollen im ersten Fingergelenk an der Sehne positioniert werden. Die Druckverteilung sollte im Idealfall bei 40 % auf dem Zeigefinger, 50 % auf dem Mittelfinger und ca. 10 % auf dem

Ringfinger bei geradem Handrücken liegen. Werden nun die Finger immer wieder unterschiedlich auf der Sehne positioniert, ergeben sich immer andere Prozentzahlen der Druckverteilung an den Fingern.

Kurz eine Erläuterung zu der individuellen Druckverteilung der Bogenhand im Griffstück: Der Anstellwinkel der Bogenhand im Griffstück sollte im Idealfall 45° betragen. Das Netz der Hand liegt somit im tiefsten Punkt des Griffs, wobei der Druckpunkt rechts (RH) von der Lebenslinie liegt.

Da jeder Bogenschütze über eigene Druckpunkte im Griff und an der Sehne verfügt, ist die Tillerdifferenz ganz individuell zu ermitteln. Ist diese ermittelt, bewegen sich beide Wurfarme bei ausgezogenem Bogen symmetrisch und bewegen sich nach dem Lösen auch symmetrisch in die Ausgangsposition.

Das Testverfahren

Damit der Schütze, sowie eine dritte Person die Bewegungssymmetrie der Wurfarme feststellen kann, wird zunächst ein Monostabilisator vorne am Bogen angeschraubt.

Beim Ausziehen des Bogens achtet der Schütze unbedingt darauf, das der Druckpunkt im Griffstück und die Druckpunkte der Finger an der Sehne den üblichen Druckverhältnissen entspricht. Zugarm und Bogenarm müssen sich immer auf gleicher Höhe/Ebene bewegen.

Bei einer optimalen Bewegungssymmetrie der Wurfarme darf der Monostabilisator keine Höhenschwankungen aufzeigen. Sollten hier Höhenschwankungen auftreten, so arbeiten die Wurfarme nicht synchron. Dieses sollte eine dritte Person, die seitlich neben dem Schützen steht, beobachten!

Ein weiterer Hinweis auf eine falsche Tillereinstellung ist eine ruckartige oder auch sprunghafte Bewegung des Stabilisators beim Abschuss. Auch dieses sollte durch eine dritte Person beobachtet werden.

Testverfahren

- Der Schütze sollte zunächst den Minimalwert der Herstellerangabe für die Standhöhe wählen.
- Das Tuning sollte zunächst auf einer Entfernung zwischen 25 und maximal 30 Meter beginnen.
- Der Bogenschütze schießt Passen zu je 6 Pfeilen und notiert sich die Trefferlage anhand eines Gruppierungschecks.
- Nun wird die Standhöhe durch eindrehen der Sehne reduziert. Dieser und folgende Veränderungen nur in kleinen Schritten. Stichwort:

Millimeter für Millimeter!

- Der Schütze überprüft die korrekte Nockpunktüberhöhung und korrigiert ggf. den Sitz der Nockpunkte. Es eignen sich hierfür besonders gut sog. temporäre Nockpunkte.
- Der Bogenschütze schießt nun wieder Passen zu je 6 Pfeilen und notiert sich die Trefferlage anhand eines Gruppierungschecks.
- Dieses wird solange wiederholt, bis die Obergrenze der Herstellerangabe erreicht ist.
- Nun kann anhand der Gruppierungschecks nachvollzogen werden, welche Standhöhe die optimale (für diese Entfernung) ist.
- Wiederholt wird das Verfahren auf verschiedene Entfernungen, möglichst an einem Tag und unter gleichbleibenden äußeren Bedingungen.

Die Feineinstellung

Hier schießt der Bogenschütze auf eine Entfernung von 50 bis 70 Metern. Nach jeder Serie der geschossenen Pfeilen wird die Tillerdifferenz in Millimeter-schritten geändert. Beobachtet wird die Trefferlage in der Höhenlage und in der Gruppierung der Pfeile. Der Bogenschütze muss hierbei auch immer auf die ggf. geänderte Nockpunktüberhöhung achten.

Je **enger die Pfeilgruppierung** ist, desto besser ist die Tillerdifferenz des Bogens eingestellt. ***Hierfür sollte sich der Schütze entscheiden!***

Die Standhöhe eines Bogens

Was bedeutet die Standhöhe und wie wird sie gemessen?

Zunächst benötigen Sie einen Checker oder Messstab um die Standhöhe ihres Bogens zu ermitteln. Hierzu positionieren sie den Checker in den tiefsten Punkt des Bogens, die Griffschale (Pivot-Point) und messen dann auf der horizontalen Ebene den Abstand (in cm) bis zur Sehne. Man bezeichnet dieses auch als Standhöhe, Spannhöhe oder Sehnenabstand.

Viele Hersteller geben Empfehlungen für die Standhöhe des Bogens an und nennen dabei einen *minimalen* und einen *maximalen* Wert. Der Bogenschütze sollte aber die optimale Standhöhe seines Bogens **individuell** ermitteln. Dieser Wert liegt aber oft zwischen den von den Herstellern angegebenen Werten.

Warum die Standhöhe?

Mit der individuellen Standhöhe seines Bogens legt der Bogenschütze fest, zu welchem Zeitpunkt der Pfeil die Sehne verlässt. Die Pfeilabgabe erfolgt, wenn die Sehne ihren Ausgangspunkt erreicht hat. Das ist der Punkt der ermittelten Standhöhe.

Hier einige Angaben eines Herstellers zur Standhöhe:

Ein Bogen mit einer Länge von 66 Zoll: ca. 21,3 bis 22,0 Zentimeter
Ein Bogen mit einer Länge von 68 Zoll: ca. 21,6 bis 22,4 Zentimeter
Ein Bogen mit einer Länge von 70 Zoll: ca. 22,0 bis 22,7 Zentimeter

Dies sind Beispielwerte, die nicht unbedingt auf jeden Bogen zutreffen!

Welche Auswirkung hat die optimale Standhöhe?

Der wichtigste Aspekt für den Bogenschützen ist die bessere Pfeilgruppierung. Auch weist eine hohe Trefferlage der Pfeile auf der Scheibe auf eine optimale Standhöhe und somit Energieentfaltung des Bogens hin.

Ist die Standhöhe zu gering oder zu hoch, führt dieses dazu, dass der Pfeil am Bogen (Bogenfenster oder Pfeilauflage) anschlägt. Sollte das der Fall sein, können keine guten Pfeilgruppierungen geschossen werden. Egal wie viel der Bogenschütze trainiert.

Wie wird die Standhöhe verändert?

Zunächst einmal sollte der Bogenschütze seine Sehne je nach Ausgangswert ein- oder ausdrehen. Beim sog. Eindrehen der Sehne wird die Länge der Sehne reduziert. Beim Ausdrehen wird die Sehne verlängert.

Der Schütze sollte aber immer darauf achten, das die Sehne mindestens 15 bis 20 Umdrehungen aufweist. Dieses ist Voraussetzung für die Stabilität einer Sehne.

Hinweis: Durch das Eindrehen wird die Sehne in ihrer Leistung gemindert, welches wieder auf andere Tuningskomponenten mehr oder weniger starke Auswirkungen hat.

Wie wird die optimale Standhöhe ermittelt?

Vorteilhaft zur Ermittlung der optimalen Standhöhe ist ein gefestigter Schießstil des Schützen. Denn schon leichte „Lösungsfehler" führen zu unterschiedlichen Pfeilgruppierungen auf der Scheibe.

- Der Schütze sollte zunächst den Minimalwert der Herstellerangabe für die Standhöhe wählen.
- Das Tuning sollte auf einer Entfernung zwischen 25 und maximal 30 Meter beginnen.
- Der Bogenschütze schießt Passen zu je 6 Pfeilen und notiert sich die Trefferlage anhand eines Gruppierungschecks.
- Nun wird die Standhöhe durch eindrehen der Sehne reduziert. Dieser und folgende Veränderungen nur in kleinen Schritten. Stichwort: Millimeter für Millimeter!
- Der Schütze überprüft die korrekte Nockpunktüberhöhung und korrigiert ggf. den Sitz der Nockpunkte. Es eignen sich hierfür besonders gut sog. temporäre Nockpunkte.
- Der Bogenschütze schießt nun wieder Passen zu je 6 Pfeilen und notiert sich die Trefferlage anhand eines Gruppierungschecks.
- Dieses wird solange wiederholt, bis die Obergrenze der Herstellerangabe erreicht ist.
- Nun kann anhand der Gruppierungschecks nachvollzogen werden, welche Standhöhe die optimale (für diese Entfernung) ist.
- Wiederholt wird das Verfahren auf verschiedene Entfernungen, möglichst an einem Tag und unter gleichbleibenden äußeren Bedingungen.

Die optimale Standhöhe ist bei der <u>dichtesten Pfeilgruppierung</u> auf der Scheibe gefunden!

Für zukünftig anzufertigenden Sehnen sollte die Länge der Sehne und die ermittelte Standhöhe als Anhaltspunkt dienen. Führen Sie dieses Testverfahren bei jeder neuen gekauften oder selbst angefertigten Sehne erneut durch. Nur so sind und bleiben Sie auf der sicheren Seite des Tunings.

Lightning Source UK Ltd.
Milton Keynes UK
UKHW021449170620
365158UK00004B/594